Roland Beyen
Ionesco ou le Sens de la contradiction

Éric Brogniet
La Poésie arabe contemporaine. Vers un nouvel humanisme ?

Jacques Carion
Julien Gracq et la Poétique du paysage

Claude Michel Cluny
D.H. Lawrence ou la Poésie primordiale

Jean Cocteau
Sur la Poésie

André Comte-Sponville
Lucrèce, poète et philosophe

Jacques Crickillon
Oberland, montagne romantique ; Engadine, montagne symboliste

Jacques De Decker
Un bagage poétique pour le 3e millénaire

Jean-Louis Dufays
Le Rire de Pierre Desproges, entre cynisme et lyrisme

Max-Pol Fouchet
Baudelaire annonçait l'art d'aujourd'hui

Roger Foulon
Jean Giono, poète des hauts-pays

Jacques Franck
Oscar Wilde ou le Festin avec les panthères

Michèle Goslar
Le visage secret de Marguerite Yourcenar

Werner Lambersy
Poèmes du pays simple : la Chine au VIIIe siècle

Pierre Mertens
Rilke ou l'Ange déchiré

Luc Norin
Autour de Khalil Gibran

Anne Richter
Percy et Mary Shelley, un couple maudit

Florence Richter
Crimes et procès d'écrivains célèbres

Philippe Roberts-Jones
Magritte ou la Leçon poétique

Jacques Sojcher
Nietzsche, rien qu'un fou, rien qu'un poète

Georges Thinès
Victor Hugo et la Vision du futur

Tzvetan Todorov
Montaigne ou la Découverte de l'individu

Jean Tordeur
Norge de tout jour

Alain Vircondelet
Marguerite Duras et l'Émergence du chant

Christophe Van Rossom
Mallarmé facile ?

Pascal Vrebos
Henry Miller, l'Initié malgré lui

Werner Lambersy

Poèmes du pays simple

la Chine au VIIIe siècle

Cet ouvrage est réalisé d'après la conférence donnée le 30 janvier 1996 aux "Midis de la Poésie" à Bruxelles.
Il participe à la série des conférences les plus remarquables publiées par La Renaissance du Livre, dans le cadre de sa collection Paroles d'Aube.

Directrice de la Série "Conférences des Midis de la Poésie" : Anne Richter.

52, chaussée de Roubaix, 7500 Tournai (Belgique).
www.larenaissancedulivre.com
ISBN 2-8046-0515-9

Paroles d'Aube

Werner Lambersy

Conférence des

"Midis de la Poésie"

Poèmes du pays simple

la Chine au VIIIe siècle

La Renaissance du Livre

Werner Lambersy *est né à Anvers en 1941. Il vit à Paris depuis plus de vingt ans où il s'occupe de la promotion des Lettres belges au Centre Wallonie-Bruxelles. Il a beaucoup voyagé et a notamment séjourné en Chine, voyage qui l'a beaucoup marqué. Il a publié de nombreux ouvrages de poésie et des livres d'artiste. Werner Lambersy vient de recevoir le prix du Parlement de la Communauté française de Belgique.*

À Pierre Lamy

"Quand il y a trop de tout,
c'est qu'il manque quelque chose."
Proverbe juif

"Le poète est celui qui ne rêve pas."
Marcel Béalu

"On se croit facilement original."
Alexandre Vialatte

À propos de la période Tang

Je voudrais vous éclairer sans imposer une longue et ennuyeuse liste des noms, dont il suffirait que vous en ayez retenu trois – Li Po, Tu Fu, Wang Wei ; mais simplement sous la forme d'une introduction d'un maître du thé contemporain, qui vous fera sentir le ton, l'ambiance, la couleur générale, oserais-je dire, l'harmonie qui baigne ces poèmes du VIIIe siècle, de l'époque Tang :

Prenez plaisir à jouer du luth ou aux échecs,
Appréciez livres ou peintures de choix,
Ou pêchez sous les saules,
Allez vous promener en bateau
avec de jolies jeunes filles,
Racontez des histoires qui finissent bien
Ou des contes de jadis.

Admirez la riche dentelle
Des feuilles et le parfum des fleurs.
De votre luth répondez aux chants des oiseaux.
Laissez les autres vous traiter à leur gré
Amis ou indifférents[1].

La passion des échecs.

1. Chang T'ieh-Chün, trad. Blofeld et Herbert, in *L'Art chinois du thé*, éd. Dervy-Livres.

Enfin, *cum grano salis*, voici une liste de moments recommandés pour aborder les rives calmes de ces textes souvent méditatifs ; des moments privilégiés dans nos villes de plus en plus polluées et dans nos horaires de plus en plus bousculés. N'est-ce pas une bonne façon de résister, car si, souvent, nous sommes obligés de passer pour des Sancho Pança dans la vie extérieure, qui pourra nous empêcher de rester les Don Quichotte de notre vie intérieure ? Aux heures perdues ; lorsque l'on vit retiré ; en conversation tard dans la nuit ; lorsqu'on étudie par un jour de soleil ; dans la chambre nuptiale ; en retenant des hôtes de choix ; par temps superbe ; lorsque les cieux s'assombrissent ; lorsque l'on regarde les bateaux glisser sur le canal ; au milieu des arbres et des bambous ; par de chaudes journées, près d'un étang à lotus ; en brûlant de l'encens dans la cour ; après qu'enivrés, les hôtes soient partis ; lorsque les plus jeunes sont sortis, pour visiter des temples retirés, etc.

Pour conclure cette entrée en matière, rien ne vaut le retour au texte original, et pour vous montrer que rien n'a vraiment changé sous le soleil, ni ici ni ailleurs, je laisse la parole au poète Tu Fu :

Dédié au maître Cheng Chien du collège pour l'extension de la littérature

Chaque jour j'achète cinq mesures de riz
des granges d'état
souvent je me rends chez le vieux Cheng,
nos natures, nos sentiments sont semblables
quand l'un a de l'argent,
tout de suite il va chercher l'autre
pour acheter du vin, sans hésiter
oubliant les formes, en toute intimité,
[...]
on sent, à chanter un poème avec générosité,
dieux et diables proches
comment oublier que les affamés à mort
remplissent les fossés?
Szu Ma Hsiang yu, au talent extraordinaire,
rinçait la vaisselle,
[...]
à entendre cela,
ne prenons pas une allure accablée
quand des vivants se rencontrent,
mieux vaut boire une coupe[1].

1. Trad. H. Collet et Cheng Wing Fun, éd. Moundarren.

Plus que d'autres, et plus longtemps peut-être, la Chine, qui depuis le deuxième millénaire avant Jésus-Christ a fait sa révolution technique et culturelle, a vu midi à sa porte.

Verticalement d'abord, ce qui représente la voie du sacré, l'Empereur est le lien entre l'empyrée désert du confucianisme, du taoïsme, et bientôt du bouddhisme Chan, et la terre. Il demeure le garant de l'équilibre du monde. En témoigne la cérémonie du huang shong, la note étalon, un fa, émise par un morceau de bambou rituellement coupé par le Fils du Ciel, et seule capable, pour l'année à venir, de reproduire le Chant du Phénix, révélateur de l'harmonie immanente en toutes choses. Sans ce diapason universel, toute musique (poème) ne pourrait être que fausse, facteur de désordres et donc mauvaise, annonçant par là discordes des sons et des hommes, guerres et fléaux, stérilité des femmes et du sol.

Horizontalement aussi, la Chine a connu la haute civilisation, car centralisée depuis le IIIe siècle derrière sa grande muraille, elle se trouve séparée des autres pays par le désert de Gobi au nord, l'Himalaya à l'ouest, et l'océan au sud comme à l'est. À quoi il n'est pas inutile d'ajouter, pour nous Européens, que son aire naturelle s'étend sur des distances comparables à celles qui séparent le cercle polaire de Tombouctou. C'est, dans ce vaste chaudron géographique et mental, grâce à – mais aussi contre – un pouvoir administratif remarquablement organisé, que vont s'aiguiser tous les appétits, extérieurs comme intérieurs. Et bouillonner sans cesse toutes les tentatives, les tentations et les travaux pratiques de l'art et de la spiritualité discrètement mais intimement liés par une esthétique vitaliste, débarrassée du poids des dieux et de leurs hypothèques paradisiaques ou infernales.

Voici les convives cordiaux d'un cercle de poètes disparus depuis longtemps. Toujours actuels cependant, contemporains même, par tant d'aspects d'une poésie qui touche plus que jamais aujourd'hui, par son apparente simplicité, par son évidence non péremptoire, par sa complexité sans complication stylistique. C'est une poésie qui rejette le pathos déplacé.

Nous sommes au VIIIe siècle après Jésus-Christ : la période Tang s'étend, en effet, de 618 à 907. Ainsi, après 1500 ans de luttes intestines, d'invasions et de chaos, la Chine trouve enfin son équilibre. On peut parler désormais "d'âge classique".

En Europe, les moines irlandais de Saint-Patrick ont converti le Nord et l'Est, après la Bretagne et la France, en couvrant le territoire d'abbayes et d'églises, autant que de prêches, de légendes et de chants. Saint Benoît d'Aniane vient de réformer la règle du fondateur saint Benoît de Nursie. La féodalité s'installe, les cours aussi : l'islam, depuis l'hégire en 622, atteint le sommet de son expansion et s'étend des frontières de la Chine à l'Espagne en traversant toute l'Afrique du Nord, en nous offrant au passage la pensée grecque, les sciences indiennes et la spéculation juive. L'empire byzantin se dégage de Rome pour atteindre bientôt son apogée. Le Japon connaît son âge d'or à Nara. Le Ghana fonde son royaume, et les Mayas règnent sur l'Amérique centrale. Ni là, ni en Chine, les occidentaux ne sont prêts à pointer leur nez ou leurs canons…

J'ai eu le plaisir de découvrir un morceau de Chine lors d'un long voyage en 1986, sac au dos, presque sans argent, et toujours bien reçu en voyageur modeste par un des peuples les plus fondamentalement pacifiques de la terre. J'y ai découvert un peu de l'âme chinoise et de son goût, partout et en toute occasion, pour la poésie, celle d'un quotidien épicurien, volontiers jouisseur, joueur et fataliste, celle de l'épopée populaire et sacrificielle, et celle enfin d'un merveilleux immémorial et moralisateur.

J'emprunte à Paul Demiéville, dans son introduction à l'*Anthologie de la poésie chinoise*[1], ce tableau que je me plais à confirmer près d'un quart de siècle plus tard: "La poésie est partout en Chine: sur les lèvres des enfants... sur celles du paysan et de l'ouvrier... dans la bouche du condamné à mort qui entonne un couplet d'opéra... et bien sûr dans le pinceau du fonctionnaire qui avait nécessairement appris la prosodie pour passer ses concours... Elle double l'œuvre du peintre... Elle jaillit chez le philosophe qui s'exalte; et jusque dans la rue où les devantures des boutiques s'ornent d'inscriptions parallèles or sur rouge qui sont des manières de distiques, éléments de base de la prosodie chinoise." Les paysages, de la rivière des Perles à Guilin aux bords du lac de l'Ouest à Hangzhou, des trois gorges du Yangzi jusqu'aux plaines de la Mongolie intérieure, se retrouvent tels que les poèmes les ont célébrés. D'autres choses ont sans doute profondément changé,

1. Éd. Gallimard.

mais on reconnaît, sous la fièvre de l'argent et du pouvoir, malgré les fards, le visage simple et nu, le corps souple et jeune, d'une société dont nous parle un texte vieux de plus de 1200 ans.

On trouve, chez Alexandre Toursky, une définition générale qui s'applique fort bien à la poésie chinoise : "Les mots signifient plus ce dont ils résonnent que ce qu'ils voulaient énoncer [...] Le terme le plus juste n'est jamais celui qui définit le mieux, mais bien celui qui situe. Qui pourrait se vanter de révéler un objet par son essence ? Le travail du poète est d'en fournir une situation approchée ; de l'entourer, par une expérience impossible à transmettre, de ses vrais environs [...] et l'on appelle poésie une certaine vertu qu'ont les mots d'aller plus loin que leurs mobiles[1]." Et cette phrase de Roland Barthes dans *Mythologies* : "La matière première de la littérature n'est pas l'innommable, mais bien le contraire, le nommé[2]."

J'en profite pour évoquer, en forme d'avertissement pour notre époque – Chine comprise –, ce que Baglin désigne comme une série d'oublis réducteurs et mortifères : "Que l'amour est un échange qui ne se réduit pas à des informations réduites et imma-

1. *La mort est naturelle*, éd. du Félin.
2. Éd. Le Seuil.

térielles, que par oubli des différences ou de l'altérité, le touriste n'a plus qu'un monde d'images à parcourir, que l'homme urbanisé a oublié la nature et perdu son autonomie, que nos divertissements nous enferment dans des jeux désincarnés, que nos rêves, perdant leur dimension de projet et d'élan, cessent de nous mobiliser, que notre imaginaire, oubliant d'être créatif, n'est plus que gouverné, que nos savoirs... modèlent de moins en moins une réalité commune, que l'oubli des besoins humains, au profit des impératifs économiques, nous rend otages des marchandises, de la publicité et de la spéculation, que l'idéologie productrice nous réduit à n'être plus que des producteurs et des consommateurs ruinant notre espace vital et notre avenir[1]." Et de terminer son essai par le constat qu'un poète Tang n'aurait pas désavoué : "La terre est une réponse sans question."

Nous arrivons, inévitablement, à la question sans réponse : la traduction. Car, dit le père Cibot, savant missionnaire, "la difficulté d'entendre des vers chinois n'est rien auprès de celle qu'on éprouve à les rendre ;

1. Michel Baglin, *La Perte du réel*, N et B Éditions.

aussi ai-je traduit... à peu près comme on copierait une miniature avec du charbon", et le marquis d'Hervey-Saint-Denys, dans *Poésies de l'époque des Thangs* (1862) poursuit cette pensée : "Le caractère, le génie de la langue parlée est essentiellement accentué, chanté, plein d'inflexions et de modulations variées ; le caractère, le génie de la langue écrite : l'idéographie, la formation philosophique des signes, composés par des associations de radicaux, symboles primitifs des idées simples." Or la poésie chinoise ne s'est jamais récitée mais plutôt psalmodiée, chantée, accompagnée souvent du ch'in. Patricia Guillermaz, dans *Poésie chinoise*[1], rappelle de même que "inévitablement, la traduction efface les plus sûres beautés du vers chinois, celle du graphisme, celle du rythme, de la rime, de la cadence tonale, de l'extrême concision." "Auprès de quoi, dira Paul Démiéville, toute autre poésie vous paraîtra verbeuse." Le goût, lui aussi, joue son rôle au fil du temps. En voici l'illustration à travers quelques traductions d'un poème de Li Po (Li-Taï-Pé ou Li Paï) :

1. Éd. Marabout, 1957.

1. Le poème en chinois :

黃鶴樓送孟浩然之廣陵

故人西辭黃鶴樓
烟花三月下揚州
孤帆遠影碧空盡
惟見長江天際流

2. La transcription phonétique :

Kuo nyien siei zi, ghuang ghak leou /
Ngan hua sam ngyuat, gha iang tchieou //
Kuo b'ywan ywan iang, pyek k'ung dz'ien /
Wi kien dj'iang kang, t'ien tchiai lieou //

3. La traduction mot à mot :

Vieil ami ouest quitter, jaune Grue pavillon /
Buée fleurs troisième mois,
descendre Yang préfecture //
Solitaire voile lointaine silhouette,
émeraude espace finir //
Seulement voir Long Fleuve, ciel bout couler /

4. L'adaptation libre de Paul Claudel :

Mon ami s'en est allé sur sa barque
et la distance entre moi et lui ne cesse de s'élargir
Dans le léger brouillard sur l'eau mêlé de fleurs
il s'est évanoui
La voile peu à peu s'éteint
à l'horizon blanc sur blanc
Il n'y a plus que le fleuve
vers le ciel qui s'allonge indéfiniment.

5. Une traduction de Tchang Fou-Jouei revue par Hervouet (éd. Gallimard) :

Au Pavillon de la Grue jaune,
adieu à Mong Hao-Jan
partant pour Kouang-Ling

Vieil ami, me laissant à l'Ouest,
au Pavillon de la Grue jaune,
Dans les fleurs vaporeuses d'Avril,
vous descendez à Yang-Tchéou,
La voile solitaire, lointaine silhouette,
se perd dans l'espace azuré ;
Je ne vois plus que le Grand Fleuve
qui coule à la rencontre du ciel.

6. La version la plus récente[1] (celle que je préfère) :

Vieil ami, quittant l'ouest
au Pavillon de la grue jaune
nuées des fleurs, troisième mois,
tu descends vers Yang Chow
voile solitaire, lointaine silhouette,
dans l'azur disparaît
on ne voit que le Long Fleuve,
couler au bord du ciel.

Outre le nombre de caractères qui déterminent la mesure, les cinq tons, aigus ou plats, dont les combinaisons demeurent un facteur essentiel, la rime et l'assonance, on a perdu en cours de traduction, une partie de la rigueur de construction du vers et du Tien Ku ou allusion. Seul un effort de commentaire pourrait replacer les vers dans leur contexte pour jouïr pleinement de cette "poésie du réel" qui ne vient jamais d'un effort d'abstraction dont les Chinois ont une horreur instinctive. De même, sont absents de la traduction le caractère graphique, plastique de

1. Trad. Hervé Collet et Cheng Wing Fun, éd. Moundarren.

l'idéogramme, et l'accompagnement presque obligatoire d'une musique instrumentale. Que reste-t-il alors pour nous plaire ? Assez, plus qu'assez, pour revivre avec ces poètes, longtemps ignorés sous nos cieux, la surprise et l'émotion d'une fraternité, d'une solitude humaine, d'une fragilité et d'une modernité intemporelle, qui nous rassérènent, après les génocides, les massacres économiques et guerriers, la fin des idéologies globalisantes et totalitaires, l'indifférence cynique des systèmes digestifs de l'argent et des bourses assassines. Nous avons besoin aujourd'hui de retrouver la nature, au-delà d'un monde d'écrans virtuels et de calculs binaires ; de toucher au concret, au pratique, au praticable par-delà l'intelligence pure et désincarnée ; de nous inscrire à nouveau dans la cité des hommes, malgré les parcellisations et l'émiettement de la société urbaine ; de retrouver les grands courants d'un imaginaire archétypal et fondateur ; de privilégier la stabilité des amitiés, de l'unité nodale des couples et de l'amour, sans aucun rejet honteux des plaisirs charnels, ludiques ; de cultiver, dans l'équilibre, la légère mélancolie libératrice des retrouvailles, des séparations et même du vieillissement ; de pratiquer l'expression simple de nos sentiments, loin des psychologies manipulatrices et des logiques de masse ; de rendre à l'instinct compassionnel ses lettres de noblesse amicale et naturelle ; de réincorporer le sens des saisons, de l'écoulement du temps, profane et linéaire autant que cyclique et sacré, à travers de nouvelles complicités quasi villageoises ; de vivre sereinement la "désespérance exaltante[1]" de savoir qu'"il n'y a rien au-dessus de nos têtes[2]". Et enfin, dans ce XXIe siècle débutant, nous avons besoin de pouvoir marcher au même pas que les chercheurs de nos sciences fondamentales (astrophysique, biologie moléculaire, physique de l'infiniment petit, etc.). Oui, comme le rappelle Jacques Rifflet dans son monumental ouvrage *Les Mondes du sacré*[3], "la filière de la cause et de l'effet est rompue et on rejoint l'enseignement du Zen, fixé au VIIIe siècle de notre ère ! … qui parle, lui aussi, de particules composant toute chose, ces particules étant seules réelles et immortelles", ce dont la plupart des poètes Tang semblent bien persuadés…

L'arbre de la poésie, dit l'un d'entre eux, prit racine au temps du Chi-King, ses bourgeons parurent

1. Hubert Reeves.
2. Hui Meng, bouddhisme chan, VIIe siècle après Jésus-Christ, ce qu'on pourrait traduire dans l'Advaïta Vedanta de Shankara (IXe siècle après Jésus-Christ) par "savoir sans second" (ces dates recouvrant à peu près la période Tang qui nous occupe).
3. Éd. Mols, 2000.

avec Li-Ling et Souvou, les feuilles poussèrent en abondance sous l'influence des Han et des Oueï, mais il était réservé aux Tang de voir ses fleurs et de goûter ses fruits.

Poème de Tu Fu

Vers impromptus
écrits sur une peinture de Ouang-Tsaï
Le merveilleux travail !
Jamais on ne portera si loin
la puissance de l'éloignement.
Dix pouces de papier ont suffi
pour enfermer dix mille lieues[1].

Je passe les subtilités, fascinantes pourtant, de la prosodie chinoise. Voici quelques-uns des thèmes principaux pratiqués par les poètes Tang : l'amitié, la séparation, le voyage ; le paysan, l'artisan, le soldat (sans militarisme) ; la cour et l'empereur, surtout pour s'en éloigner ; le détachement, l'ascèse, l'érémitisme ou le vagabondage ; l'amour paisible et profond, le sexe sensuel ou esthétique… et le vin ; la

1. Trad. d'Hervey-Saint-Denys.

mélancolie des souvenirs, le temps qui passe ; la célébration de la nature, la méditation taoïste comme chez Kuo-Po :

Là est un ermite mystérieux
Qui chante à voix basse et joue du luth.
Heureux au-delà des nuages,
Il vit des fleurs d'immortalité
et de l'eau de source.

La méditation confucéenne :

La lune tombe dans l'eau boueuse
Et son reflet reste pur.

Ou encore bouddhiste chez Paï Chü Yi :

Le pin met mille ans à mourir,
La fleur d'hibiscus ne dure qu'un jour.
Tous deux s'en vont au néant,
Pourquoi nous vanter de nos jours et de nos mois[1] *?*

---

1. Traduction libre pour les trois poèmes.

Le musicien.

À cette époque, pas plus qu'aujourd'hui, le métier de poète ne faisait vivre son homme. On ne se souciait pas de publier, mais bien de vivre entre amis de grands moments poétiques. Mais la poésie était tellement présente partout en Chine, et à travers les âges jusqu'à aujourd'hui, que la ferveur populaire et la passion démesurée de l'élite des clercs pour l'art ont maintenu intacte la plus grande partie du corpus littéraire. En Chine, à l'inverse de l'Europe au même moment, la poésie est l'affaire de tous. On est loin du mépris, ou de la condescendance, où jusqu'il y a peu on a "culturellement" condamné cette expression, fondamentale et fondatrice, du génie d'un peuple, et plus simplement de l'être humain.

Pour la seule période des Tang, on a répertorié plus de deux mille noms de poètes et près de cinquante mille textes. Qui sont-ils? D'où viennent-ils? Grâce aux fameux examens impériaux, "l'ascenseur social" de l'époque, ils sortent de tous les milieux, même les plus pauvres, passent par la cour, y sont choyés un moment, et finissent – selon leur caractère – fonctionnaires, dignitaires, rentiers, guerriers, docteurs, vagabonds, ermites rebelles, errants, maquereaux… et même meurtriers (suivant la liste d'une cinquantaine d'entre eux retenus par le volume de l'anthologie Gallimard). Cent cinquante ans, pour la première fois sans invasions ni révoltes, nous ont donné d'abord un premier groupe dont se détachent Wang Po, Lu Chao-Ling, Yang Chiung et Lo Ping Wang.

Le haut pavillon du prince de T'eng
se dresse près de l'îlot du fleuve ;
Les jades de ceinture et les grelots de char
se sont tus.
Autour des piliers peints volent,
à l'aube,
les vapeurs des rives du Sud ;
Le store de perles roule en ses plis,
le soir,
la pluie des monts de l'Ouest.

Wang Po

En prison

La voix de la cigale a résonné,
du côté de la route occidentale ;

Elle jette dans une rêverie profonde
l'hôte qui porte le bonnet de prisonnier.

Comment supporterais-je patiemment
la vue de ce frêle insecte,
Qui vient, tout près de ma tête blanche,
répéter son chant douloureux !

La rosée, trop lourde pour ses ailes,
appesantit sa marche et l'empêche de voler ;
Le vent, qui souffle avec violence,
emporte ses cris étouffés.

Les hommes ne veulent pas croire à ce qu'il y a
de pur et d'élevé dans le secret de son existence
Puis-je espérer qu'il s'en trouve un pour faire connaître à tous ce que renferme mon cœur[1] *?*

Lo Ping Wang

1. Traduction libre. Commentaire chinois : "La cigale se tient dans les arbres les plus élevés ; elle boit le plus pur de la rosée, dont elle forme son unique nourriture. C'est un fait que beaucoup de gens se refusent néanmoins à croire."

Puis, sous le règne glorieux de l'Empereur Hsüan Tsung, éclatent les trois plus grands noms de la poésie chinoise : Li Po, le poète divin, l'immortel banni sur terre, Tu Fu, le sage, le compatissant, et Wang Wei, le peintre-musicien-poète, le célibataire par amour[1].

Je voudrais compléter cette trilogie par un de mes poètes préférés : Han Shan, ermite excentrique, insouciant, illuminé, galopin prestigieux. Il me plaît d'apprendre que personne ne sait vraiment qui il est, et que l'on ne connaît son œuvre que grâce à un vague gouverneur (Lu Chin Yin) qui eut la bonne idée de recueillir et de publier ses textes gravés sur des troncs d'arbres, des rochers, des stèles et des bornes.

Heureux le corps, au temps du chaos
pas besoin de manger, d'uriner
par malheur on vint y percer des trous
creusant ainsi neuf orifices
jour, jour, s'habiller, manger
année, année, souci du loger, des impôts
mille visages se disputant un sou,
ensemble, hurlant à en oublier leur vie.

*

1. Chose rare en Chine, il ne se remariera pas après la mort prématurée de sa femme.

Autrefois, assez pauvre
aujourd'hui, extrêmement pauvre, dans le froid
tout ce que je fais tourne court
le chemin devient difficile, pénible
je marche dans la boue, je trébuche
assis avec les gens du village,
toujours mal au ventre
Mon chat de gouttière, perdu,
les rats tournent autour du pot de riz[1].

Han Shan

Dès la deuxième moitié de la période Tang, les troubles et les batailles pour le trône reprirent, et la qualité des poètes de cette troisième tranche de l'âge classique semble décliner, ou plutôt se restreindre à des thèmes "énervés", décadents ou libertins. Citons cependant quatre noms :

Le très populaire Po Kin-Yi :

Dans la bourrasque,
un arbre à la fin de l'automne ;
Devant son vin, un homme avancé dans la vie.

---

1. Trad. H. Collet et Cheng Wing Fun, éd. Moundarren.

Face avinée ressemble aux feuilles sous le givre :
Cette rougeur, hélas ! Ne vient pas du printemps[1].

Tu Mu (le mineur, par rapport à Tu Fu) :

Partout chantent les loriots,
et le vert reflète le rouge.
Dans les hameaux du bord de l'eau,
près des remparts de la colline,
les drapeaux des marchands de vin
flottent au vent
Les quatre cents quatre-vingts couvents
des Dynasties du Sud,
Leurs pavillons et leurs terrasses,
se cachent dans la brume et la pluie[2].

Li Chang-Yin (le plus lyrique) :

Nous séparer est aussi difficile
qu'il le fut de nous rencontrer.
Le Vent d'Est a perdu sa force,
et les cent fleurs se fanent.
Lorsqu'au printemps périt le vers à soie,

1. Trad. Ki-Hien, éd. Gallimard.
2. *Ibidem.*

c'est qu'il vient de finir son fil ;
La chandelle ne sèche ses larmes
que lorsqu'elle n'est plus que cendres[1].

Et Wen T'ing-Yan : en passant devant l'ancienne demeure de Li Tcheng-Kiun :

Ô destins embaumés !
À les imaginer, quelle émotion sans fin…
Le belvédère ancien n'est plus que ruines,
et le chemin s'efface.
Le paysage est le même,
ce sont les hommes qui ont changé ;
Quand je passe devant l'allée d'entrée,
mon cheval hennit longuement[2].

Tant d'autres poètes pourraient être cités, et tous plus longuement, mais à quoi bon ces charrettes de noms difficiles (pour nous). Voici un texte de Marianne du Marais[3] qui peut nous donner des clés de lecture : "La lenteur dans la maîtrise de la langue chinoise [le poème chinois] m'est parfois douloureuse, je recon-

1. Trad. Fou-Jouei, Hervouet, éd. Gallimard.
2. *Ibidem.*
3. *De la place du chinois dans la vie quotidienne*, éd. Talus d'approche, 1994.

nais éprouver parfois la douleur de la lenteur. Je bois alors quelques coupes de vin, comme Li Qingzhao[1], ma poétesse favorite. Un beau poème a pu être traduit par "lent sur chaque parole". Lenteur encore. Bon appétit: mangez lentement. Je me demande si une nuit n'est pas "dormez lentement, lentement". Parfois les bâtons d'encens se consument plus vite que ne se dissipe l'alcool qu'a pris la triste poétesse; pour une fois la fleur de prunellier qu'elle a dans les cheveux ne résistera ni au vent ni au vin: ivre, elle l'effeuille."

On n'est pas vraiment dépaysé, car on peut lire les poèmes suivants en pensant, respectivement, à Verlaine, à Blaise Cendrars, à Henri Michaux, à Saint-John Perse ou au poète belge François Jacmin:

Quand je m'éveille,
les traces du vin ne sont pas encore dissipées
Je me lève, m'assois tranquillement,
rien de spécial à faire
J'étends les bras, m'étire
Je sors mon chin
et me mets à jouer le sentiment de l'automne[2].

---

1. Li Tsing-Tchao (1084-1141), la plus célèbre poétesse chinoise, période des Song... [Enfin une femme!]
2. Po Chu Yi, trad. Cheng Wing Fun et H. Collet, éd. Moundarren.

*

Les feux de la guerre
ont illuminé la capitale de l'Ouest,
[...]
La neige alourdit de ses flocons
les étendards glacés ;
La voix furieuse du vent
se mêle au bruit des tambours.
Voici donc revenu ce temps
où le chef de cent soldats
Est tenu en plus haute estime qu'un lettré[1]*...*

*

Parler de nourriture ne rassasie pas
Parler de vêtement n'écarte pas le froid
C'est en mangeant le riz qu'on est rassasié
En portant des vêtements qu'on écarte le froid
Si on ne sait réfléchir
On dit que la quête du bouddha est difficile
Retourner au cœur, là réside le bouddha
C'est en vain qu'on le cherche à l'extérieur[2]*.*

---

1. Yang-Khiong, trad. Hervey-Saint-Denis, éd. Champ libre.
2. Han Shan, trad. Cheng Wing Fun et H. Collet, éd. Moundarren.

*

Ling ling les chars crient ;
siao siao, les chevaux soufflent ;
Les soldats marchent,
avec aux reins l'arc et les flèches.
Les pères, les mères, les femmes, les enfants
leur font la conduite
courant confusément au milieu des rangs
La poussière est si épaisse qu'ils arrivent
jusqu'au pont de Yien-Yang sans l'avoir aperçu
Ils s'attachent aux habits des hommes
qui partent, comme pour les retenir,
ils trépignent, ils pleurent ;
[...]
Les hommes en marche n'ont qu'une réponse :
notre destin est de marcher toujours
[...]
En vain des femmes courageusement
ont saisi la bêche et conduisent la charrue
Partout les ronces et les épines
ont envahi le sol désolé.
La guerre sévit toujours
et le carnage est inépuisable,
Sans qu'il soit fait plus de cas

de la vie des hommes
que celle des poules et des chiens[1].

*

Assis à méditer ou bien pérégrinant,
hors du monde de poussière
Sans gourde ni bol pour t'accompagner
Rencontres-tu quelqu'un,
tu ne lui parles pas des affaires de ce monde
Tu vas ainsi, dans le monde des hommes
un homme sans affaire[2].

*

L'herbe est givrée, bleue sombre,
les insectes grésillent
Au sud du village, au nord du village,
plus un seul passant
Seul je sors devant le portail,
contemple les champs
Lune claire,
les fleurs du sarrasin comme de la neige[3].

1. Tu Fu, trad. Hervey-Saint-Denys, éd. Champ libre.
2. Tu Tsun Ho, trad. Cheng Wing Fun et H. Collet, éd. Moundarren.
3. Po Chu Yi, *idem*.

À propos de la Chine

Avant d'en venir à nos trois auteurs-phares – Tu Fu, Li Po et Wang Wei –, reprenons quelques généralités à garder en mémoire.

La Chine, un des plus grands et des plus anciens empires du monde, allait de la mer de Chine jusqu'à l'Asie centrale, et par l'intermédiaire des Huns et de la route de la soie, touchait de son influence politique, commerciale et culturelle, les bords de la mer Caspienne. Elle connaît tous les climats et brasse mille façons de vivre, de survivre et de sentir. Elle trouve son unité surtout sous les Tang. Contrairement à la Grèce ou à l'Empire romain qui finissent par succomber sous les invasions, la Chine a "digéré" tous ses agresseurs. Les Mongols, les Tartares, les Mandchous, d'autres encore, sont devenus fondamentalement chinois.

L'absorption a été complète, la transformation radicale, l'assimilation exemplaire, et cela, sans doute, grâce à une administration efficace et à une langue, écrite, demeurée presque inchangée et praticable par tous, au-delà des inévitables variations locales de la langue parlée et des innombrables influences venues du dehors comme du dedans. L'écriture sera donc le lien intangible entre les peuples qui la composent, la poésie sera son véhicule constant, le plus populaire, le plus élitiste, l'expression même de son âme, les tables de sa loi commune et son brevet d'éternité. On se trouve devant un phénomène unique au monde par son ampleur et par sa persistance. Les poètes Tang seront nourris d'une littérature, abondante et omniprésente, qui va du Chi-King ou antique *Livre des Vers*, en passant par les *Poèmes de Ch'u* des Royaumes Combattants, les *Dix-neuf poèmes anciens* écrits par des anonymes et qui influencera fort les débuts de l'ère Tang, jusqu'aux *Sept sages de la Forêt des Bambous* des *Trois royaumes* et aux *Huit immortels du vin* qui nous occupent…

Nous passerons donc, dès la fin du VIIIe siècle, du "phantasme" confucéen à la libre esthétique du Tao. Dans son hypothétique mais talentueuse œuvre intitulée *Poèmes de Hou Dang Ye*[1], Daniel De Bruycker a remarquablement défini, pour les besoins de la cause, l'ambiance du VIIIe siècle : "Si l'intimisme est dès cette époque une marque du lyrisme chinois, les convenances veulent qu'il demeure allusif, la délicatesse ou la force du sentiment gagnant à se voiler sous une formule impersonnelle, nourrie de clichés traditionnels plutôt que d'anecdote vécues [...] À mesure que s'imposaient, sous les Tang, un goût délicat et une conception quintessenciée de la poésie." Comme moi, Daniel De Bruycker dit avoir quatre langues : "Le rustique patois flamand, le beau français, l'anglais et – là je diffère – l'écriture sino-japonaise [...] langue sans voix, imprononcée, mais sur laquelle mon âme s'écoute". Et d'ajouter – ce qui nous intéresse au premier chef : "En la première je bougonne [...] dans la seconde je m'insurge [...] dans la troisième j'élude le problème et dans la dernière j'ignore tout des vains tracas[2]!" Je prends également pour exemple ce que François Cheng dit de la peinture, car cela vaut pleinement pour la poésie des Tang : "Il s'agit en effet de ce style... qui procède par application de traits délicats, parfois fondus... qui vise

1. Éd. L'Amourier, 2000.
2. *L'Anti-Babel*, à paraître.

d'abord à saisir les tonalités d'un paysage dans leurs infinies nuances, à accepter les vibrations secrètes des objets baignés par les invisibles "souffles" dont l'univers est animé. Ce que cherche à traduire cette peinture (poésie) est en réalité un *état d'âme*[1]."

J'aimerais terminer par cette anecdote éclairante citée par Simon Leys dans *Essais sur la Chine*[2] pour définir aussi l'état d'esprit de ces poètes : "Ji Xingzi dressait un coq de combat pour le roi. Après des jours le roi s'enquit : "Le coq est-il prêt ? Pas encore, répondit le dresseur, il est toujours plein d'arrogance et de feu." Dix jours plus tard le roi vient à nouveau s'informer : "Il n'est pas encore prêt ; la vue de ses rivaux continue à l'exciter." Dix jours se passent, même jeu : "Il ne s'est pas encore débarrassé de son regard furieux et de son excès d'ardeur." Dix jours plus tard, le dresseur annonce enfin : "Cette fois nous y sommes : les cris des autres coqs le laissent impassible ; face à ses adversaires, il est comme un coq en bois ; sa puissance intérieure est telle que ses opposants n'osent plus le défier ; ils détalent à sa seule vue."

---

1. *Souffle-Esprit*, éd. Le Seuil, 1989. Voir aussi *L'Écriture poétique chinoise*, suivie d'une anthologie des poèmes Tang, éd. Le Seuil, 1977.
2. Éd. Laffont, 1998

À l'appui de ce qui vient d'être dit, voici trois poèmes :

Inscrit dans l'ermitage d'un moine

Les fleurs des palmiers, plein la cour
La mousse pénètre dans la salle silencieuse
Tous deux ensemble,
transcendant concept et parole
Dans l'air on sent un parfum extraordinaire.

Wang Chang Ling (691-757)

*

Sur la crête de la montagne,
rencontrant quelqu'un
que je n'ai pas vu depuis longtemps
et dont je vais être séparé à nouveau

Dix ans déjà, notre séparation
Sur le chemin du voyage nous nous rencontrons
Les têtes de nos chevaux dans quelle direction ?
Soleil couchant, mille, dix mille pics.

Chuan Te Yu (759-819)

*

Le soleil couchant à l'ouest
descend derrière la montagne
Dans sa chaumière
je rends visite à un moine solitaire
Les feuilles tombent, où se trouve-t-il ?
Nuages froids sur le chemin,
combien d'épaisseurs ?
Seul, à la tombée de la nuit
il frappe le gong de pierre
Serein, il s'appuie à un bâton en rotin
Mille mondes dans un grain de poussière
À quoi bon aimer ou haïr[1] ?

Li Shang Yin (813-958)

On ignore souvent que la notion d'un dieu unique est très naturelle en Chine. On y parle du "Souverain Seigneur, Dieu unique", et cette vision, à travers le bouddhisme ch'an (Zen) issu du lointain hindouisme brahmanique, traversera toute la poésie chinoise ; mais, née du monisme, elle fera plutôt allu-

1. Trois poèmes tirés du *Tao poétique*, trad. Chen Wing Fun et H. Collet, éd. Moundarren.

sion à une sorte d'unité originelle, de réservoir d'énergie émanant d'un infatigable créateur. Cela supposera qu'il n'y aura pas de commandements à suivre, ni surtout de sens de la culpabilité, deux caractéristiques qui donneront à la poésie chinoise cet extraordinaire atmosphère de liberté, cette formidable innocence, et peut-être aussi cette "tristesse heureuse" si proche parfois de la *saudade* portugaise ou de la *Sehnsucht* germanique. N'oublions pas dans cet incessant brassage la permanence du confucianisme et du Tao qui sauront réserver définitivement, à toute la création artistique, ce don du concret, de la simplicité, et une sensibililité particulière au temps qui passe et aux "passagers de ce temps"...

À propos de la langue, il faut se souvenir qu'il y a un code qui nous échappe : par exemple "les dix mille choses" sont les choses quotidiennes de la vie. On peut en décrypter beaucoup ; mais il y a aussi un système très complexe de références, à des situations, des faits, des lieux ; par exemple, quand Tchouang parle d'un "lettré qui vivait retiré dans la montagne", il fait allusion à l'autodafé ordonné par l'empereur en 213 av. J.-C., et dont, 600 ans plus tard, on raconte qu'un simple pêcheur a découvert les rescapés, ayant fui pour sauver les livres, et qui ignorent la fin des T'sin : ils étaient devenus des immortels, mais on ne retrouva jamais la rivière "enchantée" qui conduisait à la "Vallée des pêchers en fleurs" qui les abritait...

Il reste aussi ce que suggère l'idéogramme, cette écriture faite pour l'œil d'abord : par exemple, le signe de l'immortalité sera constitué – pour schématiser lourdement – par celui de l'homme et celui de la montagne, mélangés ; lumière + ombre = le temps qui passe ; air + volume = tolérance ; feu + fleur = flammes ; le crépuscule se dira par un soleil dans un arbre : le contexte vous indiquera s'il s'agit du crépuscule du matin ou du soir...

J'ai déjà parlé de la poétique et de la prosodie, mais il faudrait encore tenir compte des jeux de langage, Queneau n'est pas loin, ni même les structuralistes contemporains, ni surtout le très vernaculaire Jean-Pierre Verheggen. Mais revenons à cette définition de la poésie qui mettra tout le monde d'accord : "C'est, selon Guilloux, dire tout simplement ce qu'on a sur le cœur."

À l'époque des Tang, l'empire n'a jamais été aussi vaste, la Chine aussi puissante. Il règne un scepticisme général qui sous-tend une tolérance générale, elle aussi. L'administration couvre des territoires énormes : les poètes, souvent fonctionnaires ou soldats, vont devoir voyager, car tout le système repose sur les lettrés. On va les envoyer partout ; ils se quittent et se retrouvent tout le temps, eux qui ne rêvent que de lire et de boire entre amis. Aux Indes ou dans l'Islam, tout proches, la pensée est spéculative. En Chine, ce n'est pas une philosophie ni une transcendance qu'on va trouver, mais une sagesse : le souci de vivre heureux, dans l'harmonie. Bien manger, faire – discrètement – l'amour, avoir des enfants ou faire de sa vie un acte libérateur, si possible esthétique, au prix d'une solitude ou d'un exil recherchés : nous aurons entre temps passé, chez nous en Occident, des siècles à analyser, ergoter, pinailler (et nous exterminer) sans pouvoir nous débarrasser du discours et de la rhétorique...

Trois poètes : Li Po, Tu Fu, Wang Wei

Avant de passer aux trois poètes qui nous intéressent, je voudrais citer un petit texte, dans une traduction du XIXe siècle, pour montrer comment un poème, d'un auteur inconnu, mais qui date de huit cents ans avant Jésus-Christ, avait atteint déjà un ton exemplaire de justesse et de simplicité :

Le coq a chanté dit la femme. L'homme répond : On ne voit pas clair, il ne fait pas encore jour.
Lève-toi et va examiner l'état du ciel.
Déjà l'étoile du matin a paru. Il faut partir.
Souviens-toi d'abattre à coup de flèche l'oie et le canard pour le repas du soir.
Tu as lancé tes flèches et tu as atteint le but.
Buvons le vin et passons notre vie. Que la musique de nos instruments s'accordent, qu'aucun son irrégulier ne frappe nos oreilles.

Mao Tsé Tung dit qu'il qu'il n'y a de poésie que de circonstances. Toute la poésie des Tang est une poésie de circonstances. À quoi Borges ajoute, quand on lui demande ce qu'est la littérature : "Les circonstances, les circonstances... qui entourent l'essentiel [long silence dans l'interview]... mais il n'y a pas d'essentiel." Les poètes chinois seraient d'accord. Wang Wei, Li Po et Tu Fu marquent, avec beaucoup d'autres, encore aujourd'hui, non seulement le monde des lettres mais la vie quotidienne : des gamins des rues connaissent leurs textes par cœur, alors qu'ils sont vieux de plus de mille ans.

Li Po.

Wang Wei.

Tu Fu.

On appelle Du Fu (ou Tu Fu) “le vieux rustre” ou “l’immortel banni” à cause de son caractère difficile et de sa vie aux multiples péripéties. Il vient d’une famille de magistrats. Ce sera donc un lettré. Remarquons au passage l’extraordinaire démocratie qui permet à n’importe qui, pourvu qu’il passe les examens impériaux, de devenir un important personnage, jusqu’à la cour même de l’empereur ! Tu Fu va rencontrer tous les lettrés de son siècle et une bonne cinquantaine de personnages illustres. Quelques-uns vont former son univers poétique : Su Yuan Ming, Ho Che Chang, Cheng Chien, Tsen Shen, Kao Shih, Wang Wei et surtout Li Po. Tous sont poètes de renom.

Né en 712, il va faire ses études et servir le système impérial, jusqu’à la grande catastrophe de 751, où 60 000 soldats partent pour le Tibet, dont, comme le dit la chanson écrite par Tu Fu, il ne reviendra pas même une roue de chariot. La guerre est alors permanente, les massacres abominables, les conflits de pouvoir terribles. Pendant une dizaine d’années, la faim, le froid, la malaria vont s’abattre sur les hommes, le contexte politique sera épouvantable. Privé de postes officiels, Tu Fu devient alors herboriste, médecin itinérant, conseiller. Il va perdre son fils, mort de faim, et va tenter de rejoindre sa famille : à nouveau et jusqu'à sa mort, ce seront les voyages, la séparation, l'exil. Voici deux extraits d'un long poème :

En dix jours,
la moitié dans le tonnerre et la pluie
dans la boue
mutuellement nous nous soutenons
nous ne sommes pas équipés contre la pluie,
le chemin est glissant, les vêtements froids
parfois nous devons franchir des endroits escarpés,
toute une journée, seulement quelques li
les fruits sauvages nous servent de nourriture,
les branches basses de maison et de poutres,
à l'aube
nous marchons sur des pierres ruisselantes,
au crépuscule
nous campons dans les fumées au bord du ciel
projetant de nous arrêter
aux marais de Tong Chia,
nous franchissons la passe du Lutzu
Mon vieil ami Sun Tsai !
Ta grande bonté s'élève alors
comme les nuages dans le ciel

quand tu visites les voyageurs, il fait déjà obscur
tu fais allumer les lampes, ouvrir les portes,
fais chauffer de l'eau pour laver nos pieds,
découper du papier pour rappeler nos âmes.

[...]

Un bataillon de poulets
en train de se chamailler
mes invités vont arriver
les poulets commencent à se battre
je chasse les poulets, ils montent dans les arbres
c'est alors que j'entends frapper
au portail en branchages
des vieux villageois, quatre ou cinq personnes
ils se réconfortent après mon long, lointain voyage
dans la main chacun a apporté un présent
je verse dans les coupes le vin trouble,
puis le vin clair
avec insistance ils s'excusent
pour le goût léger du vin
les terres à sorgho, personne pour les cultiver
armes et armures
n'ont pas encore été raccrochées,
les fils sont tous partis dans les expéditions à l'est

les vieux villageois me prient
de composer un poème
leur vie est difficile,
je suis confus devant leur profonde amitié
mon chant terminé regardant vers le ciel je soupire
mes convives sont tous en train de pleurer[1].

On voit combien cette poésie demeure essentielle, au sens initial du mot "religion", c'est-à-dire ce qui relie les hommes entre eux, et sociale aussi, car Tu Fu voulait servir. Plus tard dans un élan d'ambition déçue, il écrira :

Dédié à Wei
(secrétaire du premier ministre)

Les pantalons de soie fine ne crèvent pas de faim
le bonnet de lettré ne fait que corrompre le corps ;
seigneur, écoute tranquillement,
ce qu'un homme humble va t 'exposer en détail
Fu (Tu Fu), jadis, lors des jours de sa jeunesse,
tôt présente sa candidature
aux examens impériaux

1. Tous les poèmes de Li Po, Wang Wei, Tu Fu et le poème de Hui Neng cités dans cette partie sont extraits de l'édition Moundarren.

j'étudie les livres minutieusement,

dix mille rouleaux,

manie le pinceau comme avec l'aide divine

mes fu sont considérés

comparables à ceux de Yang Hsiung

ma poésie proche de Tsao Chi,

Li Yong souhaite faire ma connaissance,

Wang Han[1] *être mon voisin,*

je pense alors être assez remarquable,

pour occuper très vite une haute position,

assister l'empereur

afin qu'il surpasse les empereurs sages

Yao et Shun,

instaurant à nouveau des mœurs saines et simples

cette ambition tombe à l'eau

je compose des poèmes

en ne faisant que survivre

dans la capitale prospère

[...]

je vais devoir prendre congé de toi

[...]

la mouette blanche disparaît dans le grand flux,

sur dix mille li personne ne peut la retenir.

---

1. Yang Hsiung (52-18) et Tsao Chih (192-232) : poètes célèbres. Li Yong et Wang Han : poètes Tang amis de Tu Fu.

Voici quelques passages pour éclairer les nombreuses facettes de l'art de Tu Fu :

Hurlements de la guerre,
tant d'âmes de défunts
triste marmonne seul le vieillard
confusion de nuages bas au crépuscule
la neige brusquement se met à danser, tourbillons
louche à vin délaissée, plus de vins dans la jarre
dans le poêle rien que le souvenir rouge du feu
plusieurs provinces nouvelles coupées
triste, assis, en train d'écrire dans le vide

*

Sur la rivière me retrouvant dans un courant fort
comme la mer, je me contente d'un court récit.
Toute ma vie, de caractère insolite,
amoureux des beaux vers,
mon langage ne toucherait-il pas les gens,
jusqu'à la mort je ne renoncerais
vieilli, je compose mes poèmes directement,
simplement
le printemps arrive, fleurs et oiseaux
ne sont plus imprégnés de tristesse.

Cette société de lettrés n'a jamais été étrangère au pays paysan, au pays d'agriculteurs qu'était la Chine. Elle avait, cette Chine des Tang, des places fortifiées partout, les garnisons les mieux entretenues ; sa justice et son système social demeurent des modèles. Toute cette poésie, toute cette sensibilité, qui exclut tout racisme, tout culte de la violence pour elle-même, tout souci de singularité excessive, encore aujourd'hui demeurent en grande partie basés sur des valeurs rurales et ancestrales. On trouvera toujours des références à la nature, à la place de l'homme dans cette nature. C'est essentiel. Il n'est pas nécessaire de vivre dans la nature – bien que les immortels du Tao ne s'en privaient pas ! –, mais il faut garder quelque chose de cette nature en soi, comme un rapport privilégié au cosmos. Tout le système étant bâti sur l'harmonie, celle-ci n'est possible qu'en mettant le corps à sa place dans le corps général, et l'esprit dans l'esprit de l'ensemble. C'est ce qui donne à cette poésie son unité, sa profondeur, cette gravité cependant toute spontanée et souvent ludique.

醉時歌　贈廣文館博士鄭虔

諸公袞袞登臺省，廣文先生官獨冷。甲第紛紛厭粱肉，
廣文先生飯不足。先生有道出羲皇，先生有才過屈宋。
德尊一代常坎軻，名垂萬古知何用！杜陵野客人更嗤，
被褐短窄鬢如絲。日糴太倉五升米，時赴鄭老同襟期。
得錢即相覓，沽酒不復疑。忘形到爾汝，痛飲真吾師。
清夜沉沉動春酌，燈前細雨簷花落。但覺高歌有鬼神，
焉知餓死填溝壑？相如逸才親滌器，子雲識字終投閣。
先生早賦歸去來，石田茅屋荒蒼苔。儒術於我何有哉？
孔丘盜跖俱塵埃。不須聞此意慘愴，生前相遇且銜杯！

Poème de Tu Fu.
Calligraphie de Tcheng Wing Fun, éd. Moundarren.

L'émotion est réelle quand Tu Fu parle de ces paysans qui lui demandent un poème et qui pleurent quand il a fini de lire ; lui-même pleure et ses pleurs sont naturels. Les totalitarismes idéologiques et financiers – mais ne sont-ils pas les mêmes ? – se sont donné aujourd'hui pour tâche de détruire l'homme. Rien de tout cela n'aurait été supportable, ni même envisageable, pour cet empire pourtant commerçant, monopolistique et militaire. Tu Fu lui-même aura été commissaire de police, shérif élu par la population du lieu – pas longtemps il est vrai – mais dans la scrupuleuse observation des lois et le respect de ce qu'on appelle aujourd'hui les droits de l'homme, soumis, il est vrai, en ce temps-là, à l'intérêt général. Au fil de la dégringolade d'un empereur qui s'est amouraché d'une concubine et de la (courte) pagaille qui s'en suit, Tu Fu va se retrouver dans des postes de plus en plus mineurs, puis devra se résoudre à fuir.

L'ermite.

La concubine étranglée, l'empire remis à flot, la paix revient. En 759 on retrouve Tu Fu à Cheng Du, où il habite une cabane au bord de l'eau ; mais sa renommée est telle, jusqu'à présent, que l'endroit est devenu aussi fréquenté, et dans le même état de laideur vulgaire, que Disneyland et ses émules ! Car, à ses risques et périls, Tu Fu incarne le héros poétique qui a parlé à l'empereur des paysans pauvres et des populations, en lui demandant pourquoi ils n'avaient ni toit, ni champs, ni riz, ni vin. À peine, s'il se plaint avec humour :

Elles savent bien que ma chaumière est basse,
exigüe,
les hirondelles de la rivière
exprès viennent souvent
elles apportent la boue,
salissent mon ch'in et mes livres
en plus de cela les insectes volants me percutent

Et il ajoute, trois ans avant sa mort :

Les nuages de couleurs se rassemblent,
à nouveau blancs
le brocart d'arbres dans l'aube naissante verdit.

Ma vie,
deux tempes comme des herbes en broussaille
dans ciel et terre, une hutte en chaume
triste je chante de temps à autre
pour me consoler
ivre, je danse, pour qui rester sobre ?
Sous la pluie fine je porte une bêche, debout
vers la rivière les singes crient,
paravent de montagnes émeraudes.

Il meurt à l'automne, en 770, tuberculeux, épuisé par ses voyages.

C'est à lui que je laisserai la parole pour introduire notre deuxième poète majeur, Li Po :

Jour de printemps (747) pensant à Li Po

La poésie de Li Po, nulle rivale
talent suprême, hors du commun
naturel, frais, comme Yu Shun (513-581)
généreux, aérien, comme Pao Chao (414-581)
au nord de la Wei, le printemps dans les arbres
à l'est du fleuve,

le soleil du crépuscule dans les nuages
quand, devant une coupe de vin,
à nouveau ensemble, à discuter poésie ?

Et, plus tard, en 759 :

Fleuves et lacs sont gonflés d'eau d'automne
la poésie semble haïr la vie prospère,
[...]
avec une autre âme désabusée
sans doute tu dialogues,
et jette en sacrifice un poème à la rivière Mi Lo.

En 761, toujours à propos de Li Po :

Sauvegardant ton intégrité
tant lors de la gloire que de l'humiliation
nous parlons avec aise, aimant nous laisser aller
amoureux du vin, tu manifestes ta sincérité
ivres, nous dansons dans les jardins Liang, la nuit
nous marchons en chantant
dans la rivière Szu au printemps.

Deuxième personnage, aussi important, de cette galaxie poétique chinoise, Li Po est né en 701, donc pratiquement à la même époque que Tu Fu. Son histoire est cependant totalement différente, quoique parallèle. Venant d'horizons lointains, il trouvera néanmoins sa place en Chine et pourra exprimer son génie. Il sort d'une famille de commerçants, exilés au Turkestan et qui ont très mal vécu dans cette région. Le clan est finalement rentré en grâce et a pu revenir s'installer en Chine. "Li Po, comme tous les Li, est supposé descendre de Li Eul, alias Lao Tzu, le vieux sage (Ve siècle av. J.-C.) auteur du Tao te ching, le classique du Tao et de ses Vertus…":

Nous sommes en l'an 701[1]
quelque part entre le lac Balkash, à l'ouest,
les sables du désert de Mongolie, au nord,
le haut plateau du Thibet, au sud,
le bassin du Fleuve jaune, à l'Est,
le campement de la famille Li,
en route pour la Chine,
après un siècle d'exil au Turkestan,
en Asie centrale,

1. "*L'immortel banni sur terre*", introduction de H. Collet à *Li Po*, éd. Moundarren.

c'est la fin de la nuit
l'étoile Chang Keng,
communément appelée Tai po, la très blanche,
autrement dit Vénus, l'étoile du berger,
brille d'un éclat extraordinaire
quand l'univers, dans la jouissance nocturne,
conçoit Li Tai po, plus simplement Li Po,
l'immortel banni sur terre,
dont le génie poétique va résonner sous le ciel.

Li Po n'obtiendra jamais le poste de lettré, ni ne parviendra au sommet de la hiérarchie. En revanche, il sera beaucoup plus riche que Tu Fu. Il n'aura que quelques revers de fortune. Voici le texte qui met en évidence l'attitude qui, dès ses 20 ans, régit toute la vie de Li Po : il rencontrera le Tao, "jouera" avec cette idée de la Voie, sur un vieux fond de confucianisme :

Visite à un taoïste du Tai tian shan,
sans le rencontrer

Un chien aboie, bruit de l'eau
fleurs des pêchers, imprégnées de rosée, ardentes
forêt profonde, parfois, j'entrevois un cerf
ruisseau, à midi, je n'entends pas la cloche

bambous sauvages, percent la brume bleue
source volante, suspendue au pic de jade
nul ne sait où il est parti
songeur, je m'appuie à deux ou trois pins.

Poème extraordinaire par sa sobriété, son laconisme presque, qui met en évidence le rapport de la poésie avec la peinture, et aussi son écriture concrète, sa volonté d'être lisible par tous, à n'importe quelle époque. L'essentiel de l'âge classique, c'est la mesure, l'équilibre naturel entre le réel, l'imaginaire et l'émotion qui fait vivre et vibrer. Ronsard a parlé de la notion du "double entendre" (infiniment plus subtile que le *Mentir-Vrai* d'Aragon). C'est le fondement même de ce type de poème : ce qui paraît si simple, en fait, reprend tout un réseau de références ou – pour parler "internet" – toute une toile de pensées interconnectées. Tout le texte, pourtant court, renvoie à une philosophie, chaque élément correspondant, comme en musique, à un autre dans un système précis d'harmoniques et de contrepoints. On vous fait grâce du jargon et du discours. On donne simplement l'émotion, mais tout y est. On parle, sans prétentions, des émotions et pensées les plus fondamentales et les plus subtiles.

Je vais parler de la mort de Li Po, non pour éluder sa vie – nous y reviendrons –, mais pour montrer comment le mythe, la légende et la vérité ont besoin de s'unir pour nous nourrir :

L'année 762, une nuit de printemps
la crique de l'îlot du buffle, sur le long fleuve
lune claire, extraordinairement claire ;
seul sur une barque, en habit de cour, Li Po
ivre, il se penche, boire la lune dans l'eau
tombe, disparaît dans le long fleuve
redevient calme juste au-dessus du fleuve,
sous la voûte nocturne étoilée,
scintille Tai Po[1].

À quoi répond le texte de Hui Neng (638-713) :

Ne pensant plus ni au bien, ni au mal, quel est,
à ce moment-là,
votre véritable visage ?

Vénérable auditoire, le vide contient le soleil,
la lune,

1. *"L'immortel banni sur terre"*, introduction de H. Collet à *Li Po*, éd. Moundarren.

les étoiles, la grande terre,
les montagnes, les rivières,
les arbres, les herbes,
les hommes bons, les hommes mauvais,
les bonnes choses, les mauvaises choses,
le paradis, l'enfer.
Tous sont dans le vide.
Le vide de la nature de l'homme
est de la même sorte.

Et ces poèmes de Li Po :

À Nan Ling, adieu à mes enfants,
lors de mon départ pour la capitale

Vin blanc nouvellement tiré,
de retour de la montagne
poulets jaunes picorant le millet,
bien gras cet automne
j'appelle un garçon,
qu'il cuisine un poulet, serve le vin
les enfants jouent, ils tirent ma robe
je chante à voix haute,
m'enivre pour fêter l'occasion
je danse, au soleil couchant me mesure

avoir persuadé l'empereur, pourquoi pas plus tôt ?

je claque mon fouet,

saute à cheval pour un long voyage

[...]

je dis adieu à ma famille, je pars vers l'ouest,

au pays ch'in

dans un grand éclat de rire au ciel,

je franchis la porte

homme de broussailles, ce n'est pas mon genre.

"Voici qu'en suivant le courant impétueux ma barque légère franchit mille chaînes de montagnes !" (Li Po)

Jour d'été dans la montagne

Trop paresseux
pour agiter l'éventail de plumes blanches
nu, dans la forêt verte
j'ôte mon bonnet, l'accroche à un rocher
sur mon crâne découvert, coule le vent des pins.

Je ne peux m'empêcher de penser à ces deux poèmes de Richard Brautigam (1936-1984)[1]:

Le monument de la fièvre

J'ai traversé le parc jusqu'au monument de la
[Fièvre
Il se trouvait au centre d'un carré de verre bordé
de fleurs rouges et de fontaines. Le monument
avait une forme d'hippocampe et l'on pouvait lire
sur la plaque :
On a eu très chaud et on est mort.

1. *Il pleut mon amour*, trad. F. Lasaygues et M. Richard, éd. Le Castor astral.

Les poivrots sur la colline de Potrero

Hélas, ils achètent
leurs bouteilles
dans un petit
magasin de quartier.
Le vieux russe
leur vend du porto
et ne les juge pas. Ils vont
s'asseoir sous
les buissons verts
qui poussent le long
des escaliers en bois.
On pourrait presque les
prendre pour des fleurs exotiques,
ils boivent si paisiblement.

Li Po va devenir cette espèce de moine errant, ce parfait lettré, sans appartenir à la caste. Il va vivre une vie de famille, une vie de cour, une vie d'exilé et de vagabond philosophe, il va dépenser une fortune dans la ville des courtisanes, écrire à 28 ans des poèmes sur les femmes et le vin, connaître tous les poètes de son temps, la célébrité et la disgrâce, jamais l'oubli. Il finira surtout par vivre en "éveillé" fidèle à l'enseignement du Ch'an (Zen) bouddhiste. Dans son taoïsme, il mettra l'accent sur l'expérience même de l'éveil (le satori japonais) et de l'identité profonde de notre nature véritable, originelle, organique avec l'univers. Notre regard sur le monde n'est autre que celui de l'univers sur lui-même. C'est toute la poésie de Li Po : vivante, fraternelle, conviviale, lucide, nostalgique, rêveuse au sens le plus noble, celui de l'invention du réel...

Adieu à la taverne de Chin Ling

Le vent souffle les chatons des saules,
parfum plein la taverne
belle de Wu, presse le vin, nous invite
amis de Chin Ling, venus m'accompagner !
celui qui part, ceux qui restent,
chacun vide sa coupe
demandez au fleuve qui coule vers l'est,
de lui, du sentiment et de la séparation,
qui le plus long ?

Li Po

Conformément à son vœu, Li Po repose aujourd'hui sur la montagne verte où on peut le saluer.

Le troisième comparse, Wang Wei, est né en 720. À 20 ans, il est reçu brillamment aux examens impériaux. Il va faire une grande carrière, les empereurs vont le plébisciter. Dans sa poésie, il célèbre le moment, l'éternité du moment : l'instant présent. À la cour, il a un profil particulier : un empereur, sous son influence, veut attirer l'attention sur l'importance des arts – Wang Wei sera peintre, musicien, poète, important dans chacune de ces disciplines – et fait réaliser dans sa chambre à coucher une fresque, représentant une cascade, des bambous, des roseaux, etc. Il rappellera Wang Weï pour lui demander de la faire détruire, car le bruit l'empêche de dormir. Tout un esprit !

La méditation, nul endroit où l'on entre
la sagesse, nul appui.

Avec l'âge,
trop paresseux pour composer des poèmes
seule la vieillesse pour me tenir compagnie
en cette vie, par erreur, poète
dans une vie antérieure, sans doute peintre
on ne peut abandonner les habitudes anciennes
par hasard, comme des gens de ce monde

prénom, surnom, se rejoignant peut-être
ce cœur pourtant, ne sait encore.

Wang Wei

En passant, je voudrais parler ici de la liberté des femmes à cette époque. En 750, elles choisissent elles-mêmes leurs époux, ont accès à tous les postes (celui d'impératrice compris), montent à cheval, font du polo, et même la guerre. Elles disposent librement de leur corps, médicalement aussi : les femmes peuvent avorter et les prostituées peuvent refuser des clients et préférer qui elles veulent...

Le cheval se révèle comme une passion : il y en a près de six cent mille sous les Tang. Il est partout, donne force et mobilité aux troupes, aux gens, aux marchands, aux fonctionnaires. À travers le cheval va naître une sorte de jouissance esthétique, de délire poétique. À travers lui, on pense à tout ce qui touche, de près ou de loin, au corps, au plaisir, au frémissement de l'être dans la chair.

Mais retrouvons ce qui fait le "fonds imagier" de la poésie Tang : l'eau, la lune, les montagnes, la marche.

Au milieu de la vie, épris du tao
sur mes vieux jours,
habitant sur la montagne du sud
l'envie me prend, seul je pars
choses merveilleuses, seul pour en jouir
je marche, arrive là où l'eau s'arrête
assis, regardant les nuages qui s'élèvent
par hasard, je rencontre un vieillard de la forêt
nous parlons, nous rions, oubliant le retour.

Wang Wei

Partout, on trouve, dans les religions, ce désir de se donner le temps dans la vie, d'effacer ses péchés, de supporter la souffrance devenue méritoire et salvatrice, d'apprendre la patience ; comportements qui sont supposés mener notamment à la sagesse et au bonheur éternel, dans la liberté soumise à la chaîne des causalités. Chez Wang Wei, rien de tel. Il fait partie de cette école du sud qui préconise la spontanéité, l'illumination soudaine, quel que soit le contexte : c'est la vision mystique, totale, jouissive, de la fruition d'un Ruysbroeck ou d'une Hadewijch d'Anvers. Tour à tour, homme du monde, puis ermite, ou du moins homme retiré, Wang Wei aura bien quelques accidents de parcours : il sera incarcéré, avalera du poison, mais sera sauvé par un poème qui le fera vomir... À 58 ans, il retrouve un poste de moine et à 60 ans il meurt en ermite dans le désordre du monde. Trois cents ans plus tard, Su Tung Po dira de lui : "Dans sa peinture, un poème ; dans son poème, une peinture."

Quittons Wang Wei sur deux de ses poèmes les plus célèbres :

Nuit d'automne, assis, seul

Seul assis, m'attristant de mes deux tempes
salle vide, bientôt la deuxième veille
avec la pluie, tombent les fruits de la montagne
sous la lampe, crépitent les insectes des herbes
cheveux blancs, difficile de les changer
or jaune, impossible de l'obtenir
comment éliminer vieillesse et maladie ?
simplement apprendre la non-naissance.

Réponse à Chang le magistrat

Sur mes vieux jours, n'aimant que la quiétude
dix mille choses ne m'encombrent plus le cœur
me retrouvant sans projet durable
sachant seulement que je retourne,
ancienne forêt
vent des pins souffle, dénoue ma ceinture
lune de la montagne illumine, je joue du ch'in
tu demandes la vérité suprême
chant du pêcheur, s'éloigne, le long de la rive.

Pour conclure et vous laisser dans une certaine aura poétique, je voudrais citer ces deux textes : l'un, d'un mystérieux Gha Ho (qui se fera appeler, plus tard, Alexis Gayot, et interviendra dans notre littérature, à Anvers, à Bruxelles et à Paris, à l'instar d'un Traven, mais vers la deuxième moitié du XXe siècle) :

Le jour, soleil ; la nuit, étoiles ;
parfois, entre eux et moi, nuages
chaque jour, ranger, laver,
puis mille petits riens.
Souvent la nuit, éveillé,

pensant aux choses qui restent à faire,
à l'argent, mais bah !
Le jour, mon âme, mille années-lumière.
La nuit, dix mille.
Bientôt, entre elle et moi, plus rien.

Et l'autre, de Fei Shê–I (dynastie Tang) célébrant la source du Lu Yü, auteur du *Ch'a Ching ou Classique du thé* (VIIIe siècle aussi) :

En arrivant au temple de la tour du couchant,
Je ne trouvai trace d'être humain
Là où naguère nobles gens s'assemblaient,
Et où résidait Maître Lu !
Dans le temple envahi de mauvaises herbes
S'étaient installées les grenouilles,
Et dans le puits abandonné vivaient des poissons
Et pourtant
un peu de sa grandeur y séjournait encore[1].

1. Éd. Dervy-Livres.

BIBLIOGRAPHIE

À propos de la poésie chinoise

- *Merveilleux le chemin de Han Shan* de Han Shan, traduit par Cheng Wing Fun et H. Collet, éd. Moundarren, 1992.
- *Montagne froide* de Han Shan. Texte français et encres de Martin Melkonian, éd. Fourbis, 1996.
- *Han Shan, Ermite taoïste, bouddhiste, zen* traduit par G. Jaeger, éd. Thanh-long, 1985.
- *L'immortel banni buvant seul sous la lune* de Li Po, traduit par Cheng Wing Fun et H. Collet, éd. Moundarren, 1988.
- *Florilège* de Li Bai traduit par P. Jacob, coll. "Connaissance de l'Orient", éd. Gallimard, 1985.
- *Paysage : miroir du cœur* de Wang Wei traduit par Chang Wang Wei-penn et L. Drivod, éd. Gallimard, 1990.
- *Les saisons bleues, L'œuvre de Wang Wei poète et peintre*, recueil traduit et présenté par P. Carré, éd. Phébus, 1989.
- *Le plein du vide* de Wang Wei, traduit par Cheng Wing Fun et H. Collet, éd. Moundarren, 1991.
- *Une mouette entre ciel et terre* de Tu Fu, traduit par Cheng Wing Fun et H. Collet, éd. Moundarren, 1995.
- *Anthologie de la poésie chinoise classique* de P. Demiéville,

éd. Gallimard, 1962.
- *Anthologie de la poésie chinoise classique* de M. Coyaud, éd. Les Belles Lettres, 1997.
- *Entre Source et nuage. La poésie chinoise réinventée* de François Cheng, éd. Albin Michel, 1990.
- *Vacances du pouvoir, poèmes des Tang*, traduit du chinois, présenté et annoté par P. Jacob, coll. "Connaissance de l'Orient", éd. Gallimard, 1983.
- *Poésie de l'époque des Tang*, précédé de *L'art poétique et la prosodie chez les Chinois*, traduit et présenté par le Marquis d'Hervey-Saint-Denys, éd. Champ Libre, 1977.
- *L'anthologie de trois cents poèmes de la dynastie des Tang*, traduit par G. Jaeger, éd. Guoji wenhua, 1987.
- *Poètes bouddhistes des Tang*, traduit par P. Jacob, éd. Gallimard, 1988.
- *Les yeux du dragon, Une anthologie de la poésie chinoise III*e*-XI*e *siècle*, traduit et présenté par P. Carré et Z. Bianu, éd. Albin Micel, 1987.
- *La Montagne vide. Anthologie de la poésie chinoise III*e*-XI*e *siècle*, traduit et présenté par P. Carré et Z. Bianu, éd. Albin Michel, 1987.
- *De l'art poétique de vivre au printemps, Poèmes de Wang Wei (701-761) au XVIII*e *siècle*, traduit par H. Collet et Cheng Wing Fun, éd. Moundarren, 1994.

Bibliographie sélective de Werner Lambersy

- *Silenciaire*, éd. Henry Fagne, 1971.
- *Moments-dièses*, éd. Henry Fagne, 1972.
- *Groupes de résonances*, éd. Henry Fagne, 1973.
- *Le Cercle inquiet*, éd. Henry Fagne, 1973.
- *Protocole d'une rencontre*, éd. Henry Fagne, 1975.
- *33 scarifications rituelles de l'air*, éd. Henry Fagne, 1977.
- *Maîtres et maisons de thé*, éd. Le Cormier, 1979, rééd. Labor, 1988.
- *Le Déplacement du fou*, éd. Le Cormier, 1982.
- *Paysage avec homme nu dans la neige*, éd. Dur-An-Ki, 1982, rééd. 1995.
- *Quinines*, éd. La Bartavelle, 1993.
- *Quoique mon cœur en gronde*, éd. Le Cormier, 1985.
- *Komboloï & Chand-Màlà*, éd. Le Dé bleu, 1985.
- *Noces noires*, éd. Table Rase, 1987.
- *L'Arche et la cloche*, éd. Les Éperonniers, 1988.
- *Entrée en matière*, éd. Cadex, 1991.
- *Architecture nuit*, éd. Phi, 1992.
- *Anvers ou les anges pervers*, éd. Les Éperonniers, 1994.
- *L'Os à souhaits* (écrit avec Jean-Claude Bologne), éd. Les Éperonniers, 1997.
- *La Magdeleine de Cahors*, éd. Labor, 1997.
- *Étés* (écrit avec Henry Bauchau), éd. Labor, 1997.
- *Pays simple*, éd. Cadex, 1998.

- *Petits rituels sacrilèges*, éd. L'Amourier, 1998.
- *Écrits sur une écaille de carpe*, éd. L'Amourier, 1999.
- *L'Horloge de Linné*, éd. Phi, 1999.
- *Singuliers regards*, éd. CFC, 2000.

Réalisé par l'atelier graphique de La Renaissance du Livre
sous la direction d'Isabelle Gérard.

Achevé d'imprimer en décembre 2001
par l'Imprimerie Floch (Mayenne).
Dépôt légal : janvier 2002 ; D/2002/8176/362
N° d'impression : 53159
Imprimé en France.